Las historias de Álex

¡A comer!

Ilustraciones de **Isabel Caruncho**

Es casi de noche. Después de un buen día en el cole, en casa de Álex y Carlota ha llegado la hora de preparar la cena.

—ÁLEX, VEN A LA COCINA Y AYÚDAME, POR FAVOR. ¡VENGA, QUE TIENES QUE BATIR LOS HUEVOS...!

—YA ESTOY AQUÍ PAPI. DÉJAME AYUDARTE...
—PRIMERO TENDRÁS QUE DEJAR LOS JUGUETES
Y LAVARTE LAS MANOS, ¿NO TE PARECE?

Después de lavarse las manos con mucho jabón,
Álex se pone manos a la obra.

—PAPI, PAPI, YO BATIRÉ LOS HUEVOS Y LUEGO PONDRÉ EL PAN RALLADO, ¿VALE?

—ÁLEX, PRIMERO PONTE EL DELANTAL. BATIRÁS LOS HUEVOS CUANDO

YO LOS HAYA CASCADO SOBRE EL PLATO. MIRA, AQUÍ TIENES EL TENEDOR

DEL COCINERO DE LA CASA. PACIENCIA...

Carlota empieza a impacientarse.
En cambio, Álex se lo está pasando
en grande, querría seguir rebozando
trozos de lomo durante horas...
—YA VA, YA VA, CARLOTA... ENSEGUIDA
TENDRÁS LISTA TU PAPILLA...

Ya han terminado de rebozar los filetes de lomo. Álex
tiene muchas ganas de jugar. ¡Qué dedos tan pringosos!
—¡QUÉ DIVERTIDO! CARLOTA, SOY UN MONSTRUO PELUDO
Y TE COMERÉ...

—¡LISTO!, ÁLEX, YA PUEDES SENTARTE A LA MESA.
AHORA TE PONGO EL BABERO.
—¿Y MAMÁ? NO QUIERO CENAR HASTA QUE ESTÉ MAMÁ.
—ÁLEX, POR FAVOR, EMPIEZA A CENAR.
YA VERÁS COMO MAMÁ LLEGARÁ ENSEGUIDA.

—UNO, DOS Y TRES. ¡BUEN PROVECHO!
YA PODEMOS EMPEZAR...
—ESTOS TROZOS SON MUY GRANDES, NO ME CABEN EN
LA BOCA. NO QUIERO MÁS... ¡NO QUIERO ENSALADA!;
¡NO ME GUSTA EL TOMATE! ¿QUÉ TENGO DE POSTRE?

¡Qué bien! ¡Por fin ha llegado mamá!
—¡MAMI! ¡MAMI! ¡HOY HE PREPARADO YO LA CENA!
—HUMM, ENTONCES SEGURO QUE ESTÁ RIQUÍSIMO.
SOY EL LOBO FEROZ, Y AHORA MISMO ME LO VOY
A COMER TODO... ¡TENGO UN HAMBRE!

Álex sigue cenando mientras escucha la historia
que le cuenta su padre:

CUANDO YO ERA PEQUEÑO MERENDABA CON MIS AMIGOS EN LA PLAZA.
LA ABUELA ME HACÍA UNOS BOCADILLOS TAN BUENOS QUE TODOS MIS
AMIGOS LOS QUERÍAN PROBAR. ¡UN DÍA ME OFRECIERON UNOS CROMOS
DE FUTBOLISTAS A CAMBIO DE MI BOCADILLO DE PLÁTANO!

Álex se lo ha terminado casi todo. Hasta el tomate
que tanto le cuesta... Por eso hoy le han dado
unas deliciosas natillas de postre.
MMM... ¡ESTÁN RIQUÍSIMAS! SI ME LO ACABO TODO, MAÑANA,
MAMI, ¿ME PONDRÁS BOCADILLO DE PLÁTANO PARA MERENDAR?

EL HÁBITO DE COMER

La comida: un acto social

De entre las muchas actividades comunes que se desarrollan en el ámbito familiar y escolar, las diferentes comidas diarias son posiblemente las más socializadoras. Además de procurar una adecuada alimentación, variada y regular, adaptada a cada edad y gasto energético, las comidas son en sí mismas un acto de relación entre los miembros de la familia o del grupo social en el que se encuentre el niño.

La importancia de la variedad de alimentos

En las comidas que se hacen en casa debe procurarse una amplia variedad de alimentos, destinada a procurar al organismo todas las vitaminas, proteínas, lípidos, glúcidos y minerales necesarios para su correcto crecimiento. La variedad de alimentos, además, educará a los pequeños en apreciar los diferentes sabores y texturas de los productos, donde la dieta mediterránea juega un papel fundamental.

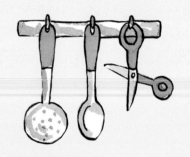

Procurar la colaboración de los pequeños

Procurando la máxima seguridad en el ámbito de la cocina, es muy interesante implicar a los pequeños en alguna tarea relacionada con la preparación de la comida. Podemos comenzar pidiéndoles su colaboración para poner la mesa, transportar cosas que no puedan romperse (servilletas), lavar algún alimento fresco (tomates, frutas), para posteriormente enseñarles otras tareas algo más delicadas aunque siempre alejadas del fuego, de las ollas y sartenes y de los instrumentos cortantes.

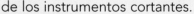

Higiene y hábitos sociales

Como acto social que es toda comida, debemos enseñarles desde muy pequeños a lavarse las manos antes de sentarse a la mesa, comer con los cubiertos, masticar con la boca cerrada, no hablar mientras se tiene alimento en la boca, utilizar la servilleta para limpiarse los labios y las manos, y no levantarse continuamente de la mesa con la excusa de no tener más hambre o querer ir a jugar. Las comidas deben hacerse en común, procurando una conversación sobre la misma comida, sobre alguna de las actividades que se han hecho durante el día o recordando anécdotas o vivencias comunes.

Educar en valores, también con la comida

Vivimos en una sociedad en la que las primeras necesidades están suficientemente cubiertas: alimentación, vivienda, ropa, educación, atención sanitaria... No obstante, es muy importante que los pequeños valoren todas estas riquezas y que se les explique con claridad y sencillez que los alimentos no deben despreciarse. De la misma manera aunque en sentido contrario, y sobre todo actualmente, en que el sedentarismo y la obesidad comienzan a afectar a muchos niños, debemos procurar unos hábitos saludables, vigilando la cantidad y adecuación de los alimentos.

Idea original y dirección editorial
Jordi Induráin

Edición y textos finales
Àngels Casanovas

Texto
Jorge Induráin

Ilustración
Isabel Caruncho

Maquetación
dos més dos, edicions, S.L.

Cubierta
Francesc Sala

© 2009 LAROUSSE EDITORIAL, S.L.
Mallorca 45, 3.ª planta - 08029 Barcelona
vox@vox.es / www.vox.es
ISBN: 978-84-7153-837-6
Depósito legal: B-11738-2009
Impresión: EGEDSA

Esta obra ha sido publicada con una subvención
de la Dirección General del Libro, Archivos
y Bibliotecas del Ministerio de Cultura,
para su préstamo público en Bibliotecas Públicas,
de acuerdo con lo previsto en el artículo 37.2
de la Ley de Propiedad Intelectual.

GOBIERNO   MINISTERIO
DE ESPAÑA   DE CULTURA